W9-BYN-942

Beste knaagdiervrienden,
welkom in de wereld van

Geronimo Stilton

DE REDACTIE VAN
DE WAKKERE MUIS

1. Erika Spaghetti
2. Linda Pecorino
3. Iris Rooimuis
4. Ada Muismat
5. Quesita de la Pampa
6. Catharina Poespas
7. Petronella de Mol
8. Hannie Holmuis
9. Jacoba Emmentaler
10. Wilhelmus Wervelwind
11. Valerie Kashmir
12. Klem Stilton
13. Karin Korst
14. Melina Mascarpone
15. Merenguita Gingermouse
16. Catalina Steenkoop
17. Ludovico Ventuno
18. Priscilla Ratmuis
19. Kees Kaas
20. Thea Stilton
21. Michel Woelmuis
22. Geronimo Stilton
23. Pinky Punk
24. Yaya Kashmir
25 Sandra Cantal
26. Benjamin Stilton
27. Isabella Rooimuis
28. Jolin Rooimuis
29. Miezelien Van Draken
30. Fifi Kashmir
31. Blasco Tabasco
32. Lora Lijsterbes
33. William Kaasmeester
34. Larry Keys
35. Judocus Werchter

GERONIMO STILTON

WIJSMUIS, DIRECTEUR
VAN 'DE WAKKERE MUIS'

THEA STILTON

SPORTIEF EN DAADKRACHTIG, SPECIALE
VERSLAGGEEFSTER VAN 'DE WAKKERE MUIS'

KLEM STILTON

ONUITSTAANBARE GRAPJAS,
NEEF VAN GERONIMO

BENJAMIN STILTON

LIEF EN ZACHTAARDIG,
NEEFJE VAN GERONIMO

Geronimo Stilton is een wereldwijd beschermde merknaam.
Alle namen, karakters en andere items met betrekking tot Geronimo Stilton zijn het copyright,
het handelsmerk en de exclusieve licentie van Edizioni Piemme SPA.
Alle rechten voorbehouden.
De morele rechten van de auteur zijn gewaarborgd.

Tekst: Geronimo Stilton
Omslagontwerp: Larry Keys
Ontwerp: Merenguita Gingermouse
Vertaling: Loes Randazzo

Oorspronkelijke titel: Giù le zampe, faccia di fontina!
Illustraties: Larry Keys, aangepast door Blasco Tabasco,
Mak Nithael, Kat Steven, Moustache de'Fer, Topika
Topraska en Andy mc Black

© 2000 Edizioni Piemme S.p.A, Via del Carmine 5, 15033 Casale Monferrato (Al), Italië 2000
© België: uitgegeven bij Bakermat, Mechelen 2004 i.s.m. Lannoo - © Baeckens Books, Mechelen 2004
© Nederland: Zirkoon uitgevers, Amsterdam 2004

Stilton is de naam van een bekende Engelse kaas. Het is een geregistreerde merknaam van The Stilton
Cheese Makers Association. Wil je meer informatie ga dan naar www.stiltoncheese.com

www.geronimostilton.com   Druk: Drukkerij Giethoorn Ten Brink, Meppel (NL)

Niets uit deze uitgave mag worden verveelvoudigd en/of openbaar gemaakt, op welke wijze
dan ook, elektronisch, mechanisch, inclusief fotokopiëren en klank- of beeldopnames of via
informatieopslag, zonder voorafgaande schriftelijke toestemming van de uitgever.

ISBN 90 5893 009 2   NUR 282/283   D/2004/6186/34

Geronimo Stilton

Eén plus één is één teveel

EEN MEP MET
EEN PARAPLU

Ik zal mezelf even voorstellen: ik ben Stilton,
Geronimo Stilton!
Het was een ochtend als alle andere. Ik was op
weg naar mijn kantoor, toen… een mevrouw die
ik *(ik zweer het)* niet kende mij zomaar met
een paraplu op mijn kop begon te meppen.
Ik protesteerde. 'Wat doet u nu?
Ik snap het niet, waarom
slaat u mij?'
Zij gilde, witheet van woede:
'Wat een rat! Jonge muis,
je wou toch niet zeggen dat
je alweer vergeten bent dat je

Geronimo Stilton

maandagochtend in de bus op mijn tenen bent gaan staan? Je hebt toen niet eens 'sorry' gezegd. Schurkmuis!'

Mopperend liep ze weg: 'Ik zal je leren!'

Ik snapte er niets van.

On-ge-lo-fe-lijk!

DE KAASPROEF-PROEF

Ik besloot de METRO te nemen. Voor het loket
ontmoette ik een vriend, Frieko Maasland. Ken
je hem? Hij is directeur van de Keuringsdienst
van Kazen van Muizeneiland. Hij zorgt ervoor
dat alleen kaas van de allerbeste kwaliteit verkocht wordt. Hij weet alles, maar dan ook álles,
over kaas. Oude en jonge kaas! Iedereen kent
hem als de uitvinder van de **KAASWAAG!**
Toen hij me zag, piepte hij: 'Schaam je,
Geronimo! Dat had ik van jou niet verwacht!'
Ik keek hem verward aan: 'Wie, wat, waar?
Sorry, maar ik snap er echt niets van...'
Hij schamperde: 'Hoezo: je snapt er niets van?

FRIEKO MAASLAND

de kaaswaag

Gisteravond leek je het anders maar al te goed te begrijpen, in restaurant *De Smakelijke Hap!'* Hij sprak opgewonden verder: 'Je durfde te beweren (in een vol restaurant nota bene) dat ik geen kaas heb gegeten van kaas! Je zei zelfs dat ik niet eens het verschil weet tussen *gatenkaas* en een *bolletje mozzarella!* Je daagde me uit tot een kaasproef-proef! Ik dacht dat we vrienden waren. Nou, ík ben klaar voor de proef! Wanneer je maar wilt!' Met een wazige blik in mij ogen zei ik: 'Piep, waar heb je het over, ik weet niet eens waar restaurant *De Smakelijke Hap* is!'

Hij werd nog bozer. 'Oh, wil je me nu ook nog in de maling nemen? Beweer je soms dat ik lieg?'

Ik snapte er niets van.

On-ge-lo-fe-lijk!

Op dat moment kwam de metro aanrijden en in het gedrang raakten we elkaar kwijt.

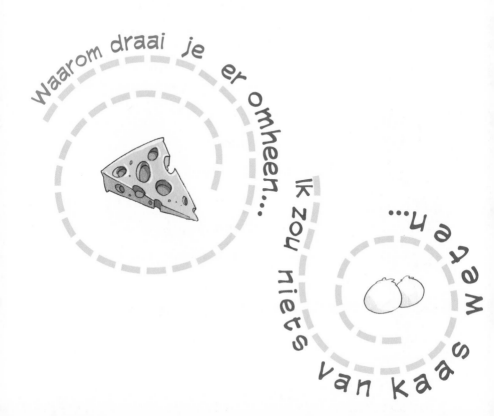

Waarom draai je er omheen... Ik zou niets van kaas weten...

GRAPMUIS, WE WILLEN ALLES WETEN!

Ik was nog helemaal in shock
toen ik de redactie binnenkwam.
Terwijl ik de deur van mijn kantoor
opendeed, hoorde ik de telefoon rinkelen.

Ik nam de hoorn op en piepte: 'Hallo, met
Stilton, *Geronimo Stilton!*'

'Mijnheer Stilton!' werd er aan de andere
kant van de lijn gepiept.

Het was de stem van Rod Delpers, de
grootste roddeljournalist van Rokford! 'U
zocht ik net, mijn beste. We zijn rechtst-
reeks in de uitzending.'

'Hè? Wie, wat, waar?'

ROD DELPERS

Rod sprak grinnikend verder: 'Liegmuis!
Doe nou niet alsof u niet wist dat ik u zou interviewen! Ik heb dit immers afgelopen vrijdag met
u afgesproken. Ons publiek wacht vol spanning
op alle smeüige details over de uitgeverij, uw
privé-leven, enzovoort. Dus ik zou zeggen, beste
Stilton, laat ons niet langer in Spanning,
we willen alles weten!'

'Ik, eh, ik weet van niets, dat wil zeggen, piep,
ik heb eigenlijk niets te vertellen...'

Maar Rod drong verder aan: 'Kom op niet zo
verlegen, grapmuis. Vertel ons alles, tot in de
kleinste schandalige details!'

'Sorry, ik bel straks terug. Ik moet dringend
ergens naartoe!' zei ik en hing rattenrap de
hoorn op.

Ik snapte er niets van.

On-ge-lo-fe-lijk!

TRUFFELDAMMER

De telefoon begon direct weer te rinkelen. Wat een drukte! *On-ge-lo-fe-lijk!*

'Hallo, met Stilton, *Geronimo Stilton!*'

'Ja hallo, ik ben het, Tuf Truf. Ik kom eraan. Schrijf de cheque maar vast uit!'

Ik stotterde: '**Wie, wat, waar?** Sorry, maar waar heeft u het over?'

Hij antwoordde geërgerd: 'Hoezo? U was gisteren in mijn winkel, HET TRUFFELHUIS, en heeft dertig kilo besteld! Dertig kilo! D-e-r-t-i-g! U bent toch niet van gedachten veranderd, hè?'

Ik vroeg zachtjes: 'Sorry, maar dertig kilo van wat?'

Hij werd ongeduldig: 'Wat scheelt er, heeft u
last van geheugenverlies? Afijn, u heeft dertig
kilo TRUFFELDAMMER-EXTRA-GERIJPTE-HOOGSTE-
KWALITEIT-MET-KONINKLIJKE-ONDERSCHEIDING
besteld, truffelkaas uit 1948 (ik bedoel maar),
de allerhoogste kaaskwaliteit die er bestaat. U
weet nog wel wat hij kost, toch? Acht dukaten
per gram (normaal verkoop ik hem altijd per
gram)!'

Ik had blijkbaar iets gemist: 'Sorry, maar ik heb
helemaal niets besteld! Ik weet niet eens waar
uw winkel is!'

Tuf werd boos: 'O, ja? Bent u
het vergeten? Bent u soms
ook vergeten dat, toen ik
u gisteren in mijn winkel
een stukje Truffeldammer
aanbood, u dat tot de

Tuf Truf

laatste kruimel heeft opgegeten? En dat u uw
snor aflikte, zo lekker vond u het? Nou moet u
ophouden. Bent u dan ook vergeten, voor het
gemak, dat ik u gisteren alvast TIEN (ik zeg
tien) kilo TRUFFELDAMMER heb meegegeven?
Weet u het nu weer? Als u *dat* niet meer weet!
Of is het zoals mijn opa altijd zei:

Als er betaald moet worden, zijn alle muizen hun portemonnee vergeten!

Nu geen geintjes meer, schrijf de
cheque maar vast uit, ik kom eraan!'
Ik snapte er niets van.

On-ge-lo-fe-lijk!

Even later hoorde ik gestommel voor de deur:
daar was Tuf al, met mijn Truffelkazen!
Ik wist niet meer wat ik er van moest denken.

Mijn secretaresse gaf me mijn chequeboekje.
Huilend zette ik mijn handtekening onder een
cheque met veel te veel nullen.
Mijn secretaresse piepte: 'Pas op, mijnheer
Stilton, er valt een traan op uw handtekening!'
Tuf maakte nog een grapje, toen hij de cheque
van mij aanpakte: 'Ja, voorzichtig Stilton, als hij
nat is nemen ze hem bij de bank niet aan...'

Huilend zette ik mijn handtekening onder een cheque met veel te veel nullen.

On-ge-lo-fe-lijk!

PAS OP VOOR IMITATIES!

Ik ging naar buiten, een blokje om. Ik kocht een tijdschrift: terwijl ik dat doorbladerde viel mijn oog op een advertentie, een advertentie voor sanitair. MIJN OGEN ROLDEN UIT MIJN KOP: DAT WAS IK! Op de foto stond ik lachend naar een toiletpot te kijken.

Geschrokken las ik de advertentietekst: *Mijn naam is Stilton, Geronimo Stilton! Ik ben een intellectuele muis, een ontwikkelde muis, eentje met smaak.*

In mijn huis wilde ik dan ook een smaakvol toilet: een echte De Boefrie! Pas op voor imitaties! De Boefrie is de beste! PIEP, op mijn woord van

eer, op het woord van Geronimo Stilton!
Ik zal u een geheimpje verklappen: mijn
meest briljante ideeën bedacht ik op deze...
Ik keek op en zag dat de stad behangen
was met enorme kleurenposters, met
mijn foto en de tekst:

DE BOEFRIE
voor de muis met smaak!

Ik snapte er niets van.
On-ge-lo-fe-lijk!

20

BENT U
GERONIMO STILTON?

Ik liep, nog steeds helemaal in de war, naar huis.
Voor mijn huisdeur stond een hele bende
knagers op mij te wachten.
'**Daar!** Dat is hem!' hoorde ik brullen.
Ik wilde wegrennen, maar het was te laat!
Een journalist hield een microfoon voor mijn
snuit: 'Bent u Geronimo Stilton?'
'Ja, ik ben Stilton, *Geronimo Stilton!*'
piepte ik voorzichtig.
'Ik ben Bo Riool, van *M(uis)TV.* Is het
waar dat boeken lezen tijdverspilling is en dat
televisiekijken veel beter is?
`Is het waar?'`

Ik wilde wegrennen, maar het was te laat!

Ik riep uit: 'Piep, wat een onzin, alleen een **DOMME KNAGER, ONGELETTERD, ONBEKWAAM, ONGEÏNTERESSEERD EN ONBEHOUWEN** zal beweren dat tv-kijken beter is dan boeken lezen...'

'Maar u hebt het zelf gezegd! Kijk maar!' en Bo Riool hield een interview (met foto) onder mijn snuit waarin ik zei dat lezen tijdverspilling was, dat je maar beter tv kon kijken!

Met tranen in mijn ogen ging ik mijn huis binnen, net op tijd om de telefoon op te nemen die rinkelde. Iemand vertelde mij dat ik was geschrapt uit het *Register van Uitgevers, wegens onwaardig gedrag voor een erkende uitgever.*

Ik snapte er niets van.

On-ge-lo-fe-lijk!

DE MAZZEL,
MAATJE...

Ik was totaal van de kaart en sloot me op in mijn
huis. Ik luisterde mijn antwoordapparaat af.
Daar werd ik ook niet vrolijker van.
De eerste boodschap was van een zanger uit de
plaatselijke danstent, ene Zanger
Zonder Stem.
'Goed gedaan vriend, je zwierde en zwaaide naar
hartelust zaterdagavond in discotheek

ALS DE KAT VAN HUIS IS!
Kan ons allemaal een keertje overkomen
dat we niet genoeg geld bij ons hebben,
toch? Maar, eh, wanneer betaal je me
terug? De muizenmazzel, maatje...'

Zanger Zonder Stem

Het tweede bericht was van Graaf
SNOB Muizewitz van Nixwitz, een echte
SNOB SNOB met wie ik soms golf speelde.
SNOB 'Stilton! Ik hoowrde dat u op de
Gholfclub op mijn wrekening
hebt gegeten met zevenenvijftig
pewrsonen. Dat vind ik nogal
bwrutaal. U zult binnenkowrt
een bwrief ontvangen van mijn

GRAAF MUIZEWITZ

advocaat: hij zal u vewrzoeken nooit meewr op
de gholfclub te vewrschijnen...'

Daarna een bericht van een antiekhandelaar:

'Hallo, met Van der Toppen.
Mijn complimenten voor
het aanschaffen van de
mooiste en duurste an-
tieke vaas uit onze win-
kel, u heeft een uitstekende

Van der Toppen

smaak! Ik snap dat u de vaas meteen mee wilde nemen, maar wanneer komt u hem betalen?' En als laatste een bericht van een vriendin van mijn zus, Babbel Migraine: 'Geronimo, waarom zei je me niet gedag toen ik je laatst in de bioscoop tegenkwam? Waarom deed je alsof je me niet kende? Ik wist niet dat je zo een onbeschofte vlerkmuis was...'

Ik snapte er niets van.

On-ge-lo-fe-lijk!

Wat een onbeschofte vlerkmuis...

Babbel Migraine

IK, OP EEN MOTOR?

Kennen jullie mijn zus, Thea Stilton?
Zij is de speciale verslaggeefster bij
mijn krant, *De Wakkere Muis.*
Ik belde haar op om raad te vragen.
'Hallo, met mij.'
Ze lachte: 'Gerry! Ik zag je gistermiddag nog: je
stond voor het stoplicht, op een motor. Je
scheurde met piepende banden weg.
Ik wist niet dat je een motor had!' **INDRUKWEKKEND!**
Ik zuchtte: 'Dat wist ik ook niet, ik hoor het nu
pas. Eh, Thea, ik denk dat ik je hulp nodig heb!'
Ik vertelde haar alles.

Thea dacht even na en beloofde me terug te bellen. Vijf minuten later ging de telefoon.

'Ik heb een afspraak voor je gemaakt bij de
beroemde psychiater *Pseudo Zielgraver!*
We gaan nu meteen!'

Pseudo nam mij eens nauwkeurig op.

Toen mompelde hij op professionele toon:

'Vertel het maar… vertel het maar…'

Hij luisterde naar mijn verhaal en stelde vast:

'Een interessant geval… een hoogst interessant
geval…'

Ik vroeg bezorgd: 'Wat denkt u ervan, dokter?'

Hij vouwde zijn poten samen op zijn buik en
piepte: 'Een geval van GESPLETEN per-
soonlijkheden… van de persoonlijkheid… zeer
ernstig… u weet niet eens meer wat u deed…
wat u deed… wie u heeft ontmoet… wie u heeft
ontmoet… net alsof er twee Geronimo's zijn…

twee Geronimo Stiltons...'

'Kunt u mij genezen, dokter?'

Hij schudde zijn hoofd: 'Wie zal het zeggen...
wie zal het zeggen... misschien... misschien...
na jaren therapie... na jaren therapie... TJA wie
weet!'

Met **lood** in mijn schoenen verliet ik het huis
van dokter *Pseudo Zielgraver.*

Hij wist het ook niet. En als een expert het al
niet weet... Och, wat gebeurde er toch met mij?

U weet niet eens meer wat u deed...
wat u deed...
wie u heeft ontmoet...
wie u heeft ontmoet...

MAG IK EEN HANDTEKENING?

'Ik ben een interessant geval! Dat heeft dokter Zielgraver gezegd!' mopperde ik terwijl ik aan mijn oren krabde.

Mijn zus Thea probeerde me te troosten, maar ook zij was erg bezorgd.

Op dat moment kwam er een onbekende man, *eh muis,* op mij af. 'U bent toch Geronimo Stilton? Bent u het echt? Mag ik een handtekening? Voor mijn nichtje, we komen vanavond

Mag ik een handtekening?

samen naar de show. Is het waar dat u vanavond ook moppen zult vertellen? *Piep,* ik hou wel van een goede mop! Vooral als ze over katten gaan!'

Ik stond versteld. 'Sorry, welke show?'

Hij wees naar een poster: 'Grapmuis! Kijk, daar!'

Ik poetste mijn bril eens goed op om beter te kunnen zien en liep naar de poster toe.

Dat was ik!

Ik snapte er niets van.

On-ge-lo-fe-lijk!

Thea mompelde: 'Broertje, ik denk dat wij daar ook maar heen moeten gaan. Dat wil ik wel eens zien!'

ALS TWEE
DRUPPELS WATER!

Pas om kwart voor negen gingen alle lichten
uit en het spotlicht aan.
Tromgeroffel was te horen.
Een presentator brulde: 'Jullie
kennen ongetwijfeld allemaal de
grootste uitgeefmuis van Rokford,
Geronimo Stilton...'
Iedereen begon te klappen!

De presentator sprak verder: 'Mijnheer Stilton
is niet alleen een erg intellectuele muis maar
ook een groot artiest! Hier is hij dan, de enige
echte, niet te evenaren *Geronimo Stilton!*
Geef hem een warm Applaus!'
Er sprong een muis het podium op. Hij maakte
een buiging voor het publiek.
Ik keek stomverbaasd: maar dat was ik!!!
Dat wil zeggen, dat was ik niet, dat was hij...
Ik keek schuin naar mijn zus, op haar snuit zag
ik dezelfde verbazing; zachtjes hoorde ik haar
mompelen: 'Ze zijn identiek! Als twee druppels
water!'
Hij (de brutale vlerk) knipoogde schalks naar
de toeschouwers en zwaaide met zijn poot, alsof
hij iedereen kende, stuk voor stuk. Alsof het
allemaal zijn vrienden waren.

JE BENT ZACHT
ALS SMEERKAAS...

De menigte reageerde overdreven enthousiast.
Wat zagen ze toch in hem? Die man, *eh muis,*
die deed alsof hij mij was.
Hij zwaaide met zijn hoed als een mislukte
musicalster en begon te tapdansen.
Ik snapte er niets van. **On-ge-lo-fe-lijk!**
Ondertussen gorgelde hij:

Je bent zo zacht als smeerkaas

Je bent zo gul als de Kaashaas

Ik smelt als fondue als ik aan je de-enk

't Is mijn hart dat ik aan je sche-enk

 Wat een smartlap! Wie vindt zoiets nou
mooi?

Maar toen ik naar het publiek keek, zag ik dat
iedereen het mooi vond!

Een damesmuis naast mij begon hysterisch te
gillen: 'O wat romantisch! Wat een man, e*h
muis*, die Stilton!'

Ik draaide me om naar mijn zus en zag tot mijn
verbazing dat ook zij het liedje mooi vond. Ze
zong zelfs mee en klapte op de maat van de
muziek. Hij eindigde zijn optreden met een buiging en een sierlijke zwaai met zijn hoed.

De bewonderaars, beter
gezegd bewonderaarsters,
gooiden gele, naar kaas
geurende rozen naar
hem. Hij raapte ze
op en stak zijn neus
erin om te ruiken,
één voor één, en

Je bent zo zacht als smeerkaas…

De bewonderaarsters, beter gezegd bewonderaarsters, gooiden gele, naar kaas geurende rozen naar hem. Hij raapte ze op en stak zijn neus erin om te ruiken, één voor één, en drukte ze tegen zijn hart.

drukte ze tegen zijn hart.
De muizenmeisjes slaakten
gilletjes van verrukking.

On-ge-lo-fe-lijk!

Het doek viel.

Na een paar minuten kwam hij weer
op, gekleed (nou ja gekleed) in een rokje
van bananen en begon te zingen terwijl hij
klepperde met zijn castagnetten:

Dansen, dansen, hop één-twee
Het tropische ritme voert je mee
Laat die buik en billen draaien
Armen en benen losjes zwaaien
Denk niet na en blijf niet staan
Kom op doe mee, en laat je gaan

Ik snapte er niets van.

On-ge-lo-fe-lijk!

Hij danste de samba, de merengue, salsa en

Dansen, dansen…

38

rumba. Het publiek bleef maar klappen!
Er volgde een passionele *cha-cha-cha*. Hij
zong daar een deuntje bij:

Eén, twee
Cha-cha-cha!
Emmen-ta-ler,
Cha-cha-cha!
Gor-gon-zola,
Cha-cha-cha!
Lekk're ka-zen,
Cha-cha-cha!

Olé! Olé! Olé!

Ik snapte er niets van.

On-ge-lo-fe-lijk!

Na zich nog een keer te hebben
verkleed, kwam hij het podium
weer op, zijn vel glanzend van
het vet. Hij danste een paar passen van
de flamenco, met een rode roos tussen zijn

tanden geklemd, en knipoogde schalks naar zijn fans. Vol **PASSIE** droeg hij voor:

Ik ben een verslaafde muis…

Niet aan de kaas maar aan de liefde…

Olé! Olé! Oléééé!

Het publiek juichte hem toe als een echte ster. Ik snapte er niets van.

On-ge-lo-fe-lijk!

Geef mij uw poot…

Hij verkleedde zich weer (pfft!), kwam op in smoking en zong een klassiek lied:

'Geef mij uw poot en antwoordt mij ja…'

Hij verdween achter het decor.

Toen hij weer tevoorschijn kwam, rapte hij:

Muizenissig voel ik mij
Ben van alle banden vrij
Op mijn motor scheur ik weg
Tot ziens is alles wat ik zeg...

Ik was verbijsterd.

En toch werd er enthousiast geklapt!

Ze sprongen op de stoelen en dansten!

Hij kwam terug voor een toegift en nog één.

Het hield gewoon niet op!

Ik snapte er niets van.

On-ge-lo-fe-lijk!

Hij kwam het podium op met een groot stuk
Goudse kaas.

Dramatisch, alsof hij een echte acteur was, rook
hij eraan en sprak:

Knagen...

of niet knagen?

Dat is de vraag!

Dat is de vraag!

Ik dacht echt: Nu gaan ze hem wegfluiten, maar nee hoor, er kwam geen einde aan het applaus!

Ik snapte er niets van.

On-ge-lo-fe-lijk!

Ten slotte verscheen hij verkleed als Clown, geschminkt en met een rode neus. Hij begon moppen te tappen.

Het waren oude bakken over katten die ik, en iedereen, allemaal al kende.

En toch gierden alle muizen van het lachen.

Ik snapte er niets van.

On-ge-lo-fe-lijk!

Ik wilde deze vlegelmuis zo langzamerhand wel eens ontmoeten.

Ha ha ha!

Na de voorstelling wachtte ik samen met Thea
bij de artiesteningang en even later zag ik hem
naar buiten komen.
Boos ging ik voor hem staan: 'Hoe durf je te
doen alsof je mij bent?'

ALLE MUIZEN GIERDEN VAN HET LACHEN!

ENIGMO STOORLINT

Van verrassing slaakte hij een hoge *PIEP*
en vluchtte rattenrap de donkere steeg in.
Ik greep hem snel bij zijn staart, maar hij rukte
zich los en wist te ontsnappen.
Maar hij had iets laten vallen...
Het was een nieuwe portemonnee, een echte
Louis Muitton: misschien had hij deze ook wel
op mijn kosten gekocht?
Thea piepte: 'Laten we kijken hoe die rat heet
die zo op jou lijkt!'
Ik opende de portemonnee en pakte er een
rijbewijs uit, op naam van een zekere
ENiGMo Stoorlint, acteur van beroep.

'Kijk er zitten ook brieven in... geschreven door Ratja Ratmuis!'
Ik maakte van schrik een achterwaartse salto.
Ratja Ratmuis is...

MIJN GROOTSTE VIJAND ALLER TIJDEN!

Zij geeft *De Rioolrat* uit, de concurrerende krant van Rokford!
Ik snapte er niets van.

On-ge-lo-fe-lijk!

De Rioolrat
Raviolistraat 14
13131 Rokford (Muizeneiland)

Geacht Impresariaat M.A.M.A
(Muizenacteurs en Muizenactrices)

Ik heb dringend een acteur nodig die op
Geronimo Stilton lijkt, de directeur van
De Wakkere Muis.
Geld speelt (bijna) geen rol, als hij er
maar echt op lijkt!
Uw antwoord graag…
Nu! Direct! Meteen! Onmiddellijk!

Ratja Ratmuis

P.S. Niets vertellen aan Stilton!

De Rioolrat
Raviolistraat 14
13131 Rokford (Muizeneiland)

Geachte Enigmo Stoorlint,

Ik ontving uw foto. U lijkt inderdaad sprekend op Geronimo Stilton, ik benijd u niet!

Noem mij uw tarief en ik zal (bijna) zonder te morren betalen. U zult dan, waar en wanneer ik dat zeg, de rol van die malloot Geronimo spelen.

Uw antwoord graag...

Nu! Direct! Meteen! Onmiddellijk!

Ratja Ratmuis

VERTRAGING MET
ERNSTIGE GEVOLGEN

Met een onrustig gevoel ging ik naar huis.
Ik sliep slecht die nacht: ik droomde dat ik
moest zingen, en ik zong zo vals als een kat!
Ik zing altijd zo vals als een kat namelijk!
Door al die nachtmerries versliep ik me ook nog
eens, pas om kwart voor negen werd ik
wakker. Hoe kon ik weten dat dit
ernstige gevolgen zou hebben!
Ik rende rattenrap de trap af
en liep naar het café waar
ik elke ochtend ga ontbijten.
De kelner, Bruut Brommuis,
keek me verbaasd aan. Hij gaf me

Bruut Brommuis

een knipoog: 'Al weer terug?
Nog een cappuccino,
mijnheer Stilton?'
'Hoezo, nog een?' vroeg ik.
Maar ik had zo'n haast dat ik
niet eens op het antwoord wachtte.
Ik rende al weer verder, naar de
krantenkiosk, mijn krantje kopen.

Ed Trouw

'Mijnheer Stilton, u hebt uw krant al
opgehaald *vandaag!* ' zei de krantenmuis
Ed Trouw stomverbaasd.
'Onmogelijk! U verwart me met iemand
anders!' antwoordde ik.
'Nee hoor, u was het echt. Ik ken u toch al
meer dan twintig jaar...'
Snel ging ik naar kantoor.
Ik klopte op de deur.
Mijn zus Thea deed open.

Zodra ze me zag kneep ze haar ogen tot spleetjes, en begon furieus te brullen: 'Hoe durf je! Wat een lef! Ik denk er niet aan je binnen te laten, de **ECHTE** Geronimo is al binnen!'

Ik stond versteld: 'Wie, wat, waar?'

Ze smeet de deur voor mijn snuit dicht.

Ik klopte nog eens. 'Thea, doe open! Ik ben het!'

Thea deed de deur weer open.

'Bedrieger! Scheer je weg!'

'Maar ik ben het, Thea! Ik ben je broer! Herken je me niet?'

Ze keek me nog eens goed aan, ik zag dat ze even twijfelde… Opeens piepte ze heel vastbesloten: 'Ik zal toch wel weten wie van jullie twee mijn echte broer is!'

Door de halfgeopende deur zag ik in mijn kantoor, achter mijn bureau… hem, eh… mij, dat wil zeggen de nep Geronimo Stilton zitten!

Mijn medewerkers begonnen, toen ze me zagen,
te fluisteren: 'Dat is de dubbelganger van mijnheer Stilton, de man, *eh muis,* die zich voor
hem uitgeeft!'

Mijn secretaresse, Miezelien
van Draken schudde haar
hoofd. 'Piep, u lijkt
voor geen meter op
hem! Je kunt heel
goed zien dat daar
de enige **ECHTE,**
originele Stilton zit!'
En ze wees op de man,
eh muis, die achter

De bedrieger

mijn bureau zat.

Mijn zus smeet de deur weer voor mijn snuit
dicht. 'Wegwezen! En laat je hier niet meer
zien!'

WEL ALLE GEKRULDE SNORHAREN…

Ik ging terug naar huis. Maar toen ik de deur open wilde doen, merkte ik dat de sleutel niet paste: iemand had mijn sloten verwisseld.

Wel alle gekrulde snorharen van een schootkat!

En wat nu? dacht ik in totale paniek. Ik belde één voor één al mijn vrienden.

Helaas was Thea me voor geweest en had iedereen verteld dat er een man, *eh muis,* rondliep die zich voor mij uitgaf. Dus stuk voor stuk gooiden ze de hoorn op de haak, denkend dat ik hem was, die ander, *de oplichter,* de bedrieger! Ik belde mijn neef Klem, maar ik kreeg zijn antwoordapparaat dat het volgende bericht gaf:

'PIEP NAAM, ADRES, TELEFOONNUMMER, TIJD
EN WAAROM JE BELT, IN. ALS IK ZIN HEB
(ALLÉÉN ALS IK ZIN HEB) BEL IK TERUG.'

Heel even had ik het idee mijn neefje Benjamin
te bellen maar dat leek me bij nader inzien geen
goed plan.

Dus vatte ik post vlak bij mijn huis en wachtte
op de nep Stilton!

Eindelijk, tegen zeven uur 's avonds, zag ik een gele auto aan komen rijden (*mijn* auto). Uit de auto stapte... hij!

Hij keek in de brievenbus (*mijn* brievenbus) of er post was (*mijn* post). En haalde de huissleutel uit zijn jaszak om het huis (*mijn* huis) binnen te gaan. Hij duwde tegen de deur (*mijn* deur) om hem open te doen... ik sprong tevoorschijn en brulde: 'AFBLIJVEN, KAASKOP! BLIJF MET JE POTEN VAN MIJN HUIS, MIJN KANTOOR, MIJN FAMILIE EN MIJN VRIENDEN AF!'

Te laat... hij had de deur rattenrap dichtgesmeten. Vlak voor mijn snuit!

On-ge-lo-fe-lijk!

Verkleumd, verbitterd en donkere gedachten koesterend, zwierf ik door de straten van Rokford en wachtte tot het weer licht zou worden.

Ik zwierf door de straten van Rokford...

ONTBIJT... OF KRANTJE?

Eindelijk kwam de zon op. De stad kwam tot leven, de straten raakten langzaam gevuld met haastige knagers op weg naar hun werk.

Ik zuchtte maar eens, **HEEL** diep!

Tja, ik had GEEN huis meer, GEEN werk meer, **GEEN** familie meer, GEEN vrienden meer... helemaal **NIETS** meer!

Ik had nog maar een paar dukaten. Ik moest kiezen: ontbijten of een krantje kopen? Ik dacht even na, en besloot: de krant, natuurlijk!

Maar toen ik bij de krantenkiosk aankwam, zag ik grote schreeuwende krantenkoppen op alle voorpagina's: **EXTRA EDITIE!**

De Wakkere Muis is overgenomen
door R. Ratmuis!

Het duizelde me. Ik las:

'Vannacht is het tot een akkoord gekomen tussen Geronimo Stilton, de uitgever van *De Wakkere Muis,* en Ratja Ratmuis. Stilton heeft het tot nu toe geheime contract ondertekend. Daarmee bezegelde hij de verkoop van zijn krant, *De Wakkere Muis*. De nieuwe eigenaar, tevens eigenaar van *De Rioolrat*, bevestigde dit verhaal. De prijs van overname was laag, erg laag, lager dan laag. Het komt er op neer dat *De Wakkere Muis* cadeau werd gegeven… aan *De Rioolrat*!

Stilton ondertekende het contract voor de overname van *De Wakkere Muis…*

Iedereen was door deze overname verrast. Ratja liet
er geen gras over groeien en ontsloeg op staande
voet alle medewerkers van Stilton. Zelfs zijn zus
Thea, speciaal verslaggeefster bij *De Wakkere Muis*,
werd ontslagen.

Ratja vertelde ons: 'Ik heb hier jaren op gewacht:
eindelijk is het zo ver! *De Wakkere Muis* is van mij!

Helemaal van mij! Alleen van mij!'

Opeens begreep ik alles.
Dat was vanaf het begin haar plan
geweest. Ratja verving mij door de
nep Stilton om mijn krant in haar
poten te krijgen.

Tranen met tuiten huilde ik, maar ik wilde me
niet op mijn kop laten zitten.
Dat zou ik haar wel eens even betaald
zetten!

HET ECHTE CADEAU
VAN TANTE LILLY

Ik rende naar het kantoor van *De Wakkere Muis*. Toen ik er voor stond, zag ik dat op de gevel al stond geschreven: *De Rioolrat*.
Ratja had geen seconde verspild!
Ik belde mijn zus, thuis, op.
Ik zei: 'Thea ik ben het!'
Zij gilde buiten zinnen:
'Wie van de twee ben je?
De echte of de nep?'
Ik zuchtte: 'Thea, ik ben
het, je broer, Stilton,
Geronimo Stilton!'
Zij pufte.

'O, ja? Even checken. Welke kleur had de knuffelmuis die je van tante Lilly kreeg op je vijfde verjaardag?'

Ik moest lachen en zei: 'Is dat een grapje? Tante Lilly heeft me nooit een knuffelmuis gegeven, maar een **VERSCHRIKKELIJK** lelijke gele, wollen muts, met ogen, snorharen en oren van een kat. Ik heb me er altijd voor geschaamd als ik hem op moest. Maar dat weet je net zo goed als ik...'

Kleine Thea!   Kleine Geronimo!

BLAUW ADER-BADOLIE

Thea haalde opgelucht adem: 'Jij bent het, *jij*
bent het *echt*, broertje!'
Ik vroeg haar: 'Kan ik naar jou toe komen? *Hij*
heeft de sloten van mijn huis veranderd, dus heb
ik de hele nacht buiten rondgezworven. Een heet
bad zou me goed doen, ik ben moe, uitgeput...'
Ik ging naar Thea's huis.
Ze woont in een appartement met een heel hoog
plafond, elke tussenverdieping is gebouwd op
TRANSPARANT plexiglas, daardoor
lijkt het net of je in de lucht zweeft. Ik krijg er
altijd last van hoogtevrees!
Het huis staat vol met gi-ga-gantische tropische

Het huis staat vol met gi-ga-gantische tropische planten

planten. Ze heeft ook een prachtige serre waarin ze allerlei exotische planten kweekt die ze verzameld heeft tijdens haar reizen. Er zijn zelfs vleesetende planten! Elke ruimte heeft zijn eigen kleur: **kersenrood, rozenroze, appelgroen, pruimenpaars, citroengeel...** Het ruikt er altijd raar: dat komt door alle geurkaarsen die overal staan en door het branden van geurige wierook.

Haar meubels zijn allemaal UNIEKE STUKKEN, gemaakt door haar kunstenaarsvrienden; aan de wand hangen moderne schilderijen en een gi-ga-vergroting van de mooiste foto die Thea gemaakt heeft.

Waar was ik gebleven met mijn verhaal?

O, ja... nog maar net binnen werd ik stevig omhelsd door mijn zus die tranen in haar ogen had. Ze bracht me naar de badkamer.

'Geronimo, ik heb het bad voor je vol laten
lopen, met lekker warm water en ik heb er
Blauw Ader-badolie in gedaan!
Ik liet mij in de roze badkuip van Thea zakken.

Piep! Ik ben dol op de geur van schimmelkaas! Na zo'n wasbeurt voel ik me als herboren!

Ik trok een geel joggingpak aan dat Thea me
had geleend. Uit de keuken kwam een heerlijke
geur, mijn zus maakte een lekker ontbijtje voor
mij klaar. Ik hoefde alleen mijn neus maar ach-
terna te lopen.

SORRY, GERONIMO...

Op mijn bord lag een heerlijke omelet
met gesmolten kaas, en een shake
van peren met blauwe kaas. Om je snor-
haren bij af te likken!
Ik at met smaak. Thea hield mij scherp in de
gaten. 'Je was helemaal uitgehongerd!'
Ik veegde mijn snuit schoon met mijn servet
en zuchtte diep.
'Je wilt niet weten wat ik allemaal heb doorge-
maakt de laatste uren. Ik heb op een houten
bank in het park geslapen, in de **koude**
buitenlucht! Ik was platzak en kon vanmorgen
niet eens een kop koffie betalen...'

...een heerlijke omelet met gesmolten kaas...

Thea had tranen in haar ogen.

'Het spijt me heel erg, Geronimo. Maar die man, *eh muis,* was erg overtuigend, weet je? Hij leek écht op je! Hij had **DEZELFDE** kleur vacht, **DEZELFDE** snuit, **DEZELFDE** snor... hij had **DEZELFDE** stem, hij gebruikte **DEZELFDE** uitdrukkingen! Hij had zelfs **DEZELFDE** gewoonte, noem het een tik, om op zijn bril te knabbelen als hij nerveus was!'

HIJ HAD DEZELFDE KLEUR VACHT...

DEZELFDE SNUIT...

HIJ HAD DEZELFDE GEWOONTE...

DEZELFDE SNOR...

DEZELFDE STEM...

OOM,
OOM GERONIMO!

Ik stelde haar gerust. 'Het is al goed, het is jouw schuld niet, zusje. Ik had al begrepen dat deze knager erg veel op mij leek. Ik begrijp alleen niet hoe hij mij zo perfect kan nadoen, goed genoeg om iemand die mij zo goed kent als mijn eigen zus te overtuigen.'

Op dat moment kwam mijn lievelingsneefje Benjamin binnen. Hij rende op mij af met **tranen** in zijn oogjes.

'Oom, oom Geronimo! Tante Thea vertelde me dat er een boze muis was die probeerde jouw plaats in te nemen. Ze zei dat hij erg veel op jou lijkt... maar ik weet zeker dat ik het verschil

zou zien! Oompje, je bent mijn allerliefste oom weet je dat?'

Ik knuffelde hem stevig. 'Ja, dat weet ik, mijn kaasflapje. Ik hou ook zoveel van jou!'

De deurbel rinkelde. Mijn neef Klem kwam binnen. Kennen jullie die? Hij heeft een winkeltje met tweedehands spullen, *De Bazar van de Manke Vlo*, in de Uitdragerssteeg 4.

'Wat hoor ik nou allemaal? Wat een geflikflooi...
je bent mijn allerliefste oom...
ik hou van je... bah, slijmjurken!'

Hij stopte ondertussen een met roomkaas gevulde chocoladesoes in zijn mond. 'Evengoed ben ik blij je weer te zien, neefje. Maar ik zeg je bij mij was het niet gelukt, ik had het verschil gezien! Ha ha ha, ik had je meteen herkend... aan je *STANK!*'

Mjammjam mjam!

Ik legde uit: 'Ik heb jullie hulp nodig bij het terugkrijgen van *De Wakkere Muis*. We hebben een tactiek, een strategie nodig…'

Klem was niet helemaal bij de les: 'Je hebt gelijk we hebben een *tactegie*, een *stratiek* nodig!'

Thea verbeterde hem: 'Dat heet strategie of tactiek!'

'Ja, ook goed, zoiets bedoelde ik. Dus, wat gaan we doen? Wachten we die man, *eh muis,* voor het huis op en verbouwen we hem?'

Thea sputterde tegen: 'Geen geweld, Klem! Niet met brute kracht…'

'Wat? Brute kracht? O, ik begrijp het al, koppie koppie, we gaan de *harinkjes* gebruiken!'

Ik zuchtte: 'Jij denkt ook altijd aan eten.
Hersentjes, geen *harinkjes!*'
Woedend ging ik verder: 'Wat een brutale rat,
die charlatan, die oplichter! We lijken echt als
twee druppels water op elkaar!'
Klem bromde: 'Als ik hem te pakken krijg, die
flessentrekker, die bedrieger… ik zal hem eens
even mores leren! O wee degene die aan jou
komt!'
Benjamin gilde opeens helemaal opgewonden:

IK HEB EEN IDEE!

WE DOEN HETZELFDE ALS RATJA!

WE ZOEKEN GEWOON IEMAND

DIE OP HÄÄR LIJKT!!

HEB IK SOMS IETS
VAN JE AAN?

Wat een goed plan! We zouden Ratja met haar
eigen bedrog bedriegen, een dubbelgangster
zoeken die precies op háár leek!
'Maar het moet wel snel! We
hebben geen tijd te verliezen!'
sprak ik bezorgd.
Ik zag dat Thea strak
naar Klem keek. Ze
draaide eens om hem
heen, bekeek hem
van alle kanten, en
MOMPELDE:
'Hmmm, hetzelfde

postuur, maatje vijftig denk ik zo. Ach, de vacht
kunnen we verven. Lila nagellak,
een beetje rouge op de snuit:
met een beetje make-up kun
je wonderen verrichten.'
Klem gilde: 'Make-up?
Wat? En waarom kijk je zo
naar mij? Heb ik soms iets
van je aan?'
'Nee, nog niet! Het is perfect,
je bent er *geknipt* voor!'
'*Geknipt* voor wat?' sputterde hij argwa-
nend tegen.

MESJEU LE RAT

We brachten Klem naar **charmant als een croissant,** het beautycentrum waar Thea altijd heen ging. Boven de deur stond geschreven:

MOOI WORD JE NIET GEBOREN, MOOI WORD JE GEMAAKT!

Mesjeu Le Rat kwam ons begroeten. 'Ah, Juffroi Stilton, wat brengt u hier? U ziet er goed uit; absoluut *charmant!*' Thea streek verlegen over haar vacht. 'Vindt u dat echt, Mesjeu Le Rat?'

Mesjeu Le Rat

Alle muizen verzamelen! Er is een noodgeval!

Hij fluisterde vertrouwelijk: 'Zegt u het eens,
Juffroi, wat kan ik voor u doen?'
Ook Thea begon geheimzinnig te fluisteren:
'Het gaat niet om mij, maar om mijn neef!'
Ze fluisterde zachtjes iets in het oor van Mesjeu
Le Rat, en wees naar Klem. Vijf minuten later,
ondanks al zijn tegenstribbelen, werd mijn neef
hardhandig naar een klein kamertje gebracht.
Mesjeu Le Rat gilde naar al zijn medewerkers:
'Alle muizen verzamelen! Er is een noodgeval!
Ontspannende halfuurs-SNUITMASSAGE. Dan
een reinigend snuitmaskertje, maak er maar
een vochtinbrengend smeerkaasmasker
van, en ten slotte een snuitverzorgende
roomkaasdagcrème!'
'Voilà!' piepte hij uiteindelijk.
Daarna pootte hij Klem neer op een stoeltje, dat
bekleed was met zacht-lila velours.

Mesjeu Le Rat schrok: 'Wat een gespleten haar-
punten! Wat een vermoeide vacht! Kijk hier,
allemaal roos! Gi-ga-gantisch! Wat voor een
shampoo gebruikt u? U moet uw vacht beter
verzorgen, hoor! Dit is vachtmishandeling!'

Klem zei niets maar ik hoorde zijn tanden knarsen.
Le Rat stelde voor: 'Eerst een permanentje.
Dan lekker wassen, met een speciale anti-roos
shampoo. Dan een **haarmaskertje** met
vette gesmolten kaas en om het af te maken een
kapsel naar de allerlaatste mode! Als kleur had ik
platinablond in gedachten! Wat denkt u?'
Klem gromde: 'Grrr…'

OOGSCHADUW
EN POEDERDONS

Mesjeu Le Rat piepte: 'Zo, en dan nu de make-up! Eerst even de wenkbrauwen epileren, met een pincet, zo...'
Klem protesteerde: 'Auauau! Dat doet pijn! Poten af! Mijn wenkbrauwen **Niet!**'
Mesjeu Le Rat brulde hem toe: 'Zit stil! Laat me mijn werk doen!'
Hij begon Klem zorgvuldig op te maken.
'Eh, 'ns even kijken: een basiscrèmetje, een waasje rouge. Een beetje blauwe oogschaduw, nog een vleugje LIPPENSTIFT (brandweerrood, precies de kleur die Ratja altijd op heeft) en klaar! Even met de poederdons over de staart, ziezo!'

De nagels van mijn neef Klem werden lila gelakt. Ten slotte spoot Mesjeu Le Rat zelfs wat parfum achter zijn oren, het parfum van Ratja Ratmuis.

Toen werd er een opticien gehaald, die zorgde voor blauwe contactlenzen, zodat zijn ogen precies dezelfde kleur kregen als de ogen van Ratja. We belden naar de boetiek waar Ratja

N°5
SUBENHARA
PARIS
EAU DE PARFUM

haar kleren altijd koopt en bestelden er een complete garderobe.

Mesjeu Le Rat riep ons: 'Kom gauw kijken!'

Hij glom van trots.

Ik geloofde mijn ogen niet.

VOILÀ:
DE REKENING!

Klem bekeek zichzelf aandachtig in de spiegel:
'Tsst, lijk ik echt op haar?'
Mesjeu Le Rat piepte: 'Ja, het is Ratja Ratmuis,
beter zelfs! Veel aantrekkelijker, veel
charmanter!'
Klem keek hem boos aan.
Mesjeu Le Rat stopte een geparfumeerd stukje
papier in mijn poot, met een hele rij getallen.
'Voilà, de rekening!'
'Dank u!' antwoordde
ik verstrooid, toen
keek ik naar het bedrag
en werd duizelig...

Ik moest even gaan zitten, op hetzelfde lila
stoeltje, om niet om te vallen.

Thea wierp mij een strenge blik toe: '*Ssst,* maak
me niet te schande. Betaal zonder met je ogen te
KNIPPEREN, en geef een goede fooi!'

Met tranen in mijn ogen ondertekende ik een
cheque met een gi-ga-bedrag, en we verlieten
het beautycentrum.

Vlak voor de deur kwamen we een verwaande
dame tegen die tetterde: 'O, Ratja, engel! Dat is
lang geleden! Ben je ook aan het winkelen?'

Klem wilde al antwoorden maar Thea was
sneller: 'Ach, Ratja heeft bijna geen stem:
ze heeft enorme keelpijn!'

We dreven Klem, of Ratja, of nee *Klem!*
naar een taxi en brachten hem naar huis.

Later op de avond zetten we de televisie aan
om naar het laatste nieuws te kijken. Op het

scherm verscheen de snuit van Ratja, ze werd geïnterviewd door een journaliste, Linda de Muis. De journaliste vroeg: 'Hoe voelt het, mevrouw Ratmuis, om de belangrijkste uitgeefmuis van Muizeneiland te zijn?'
Zij lachte een valse rattengrijns en antwoordde met haar diepe stem: 'Héérlijk, als je dat maar weet!'

omdat ik slim ben, heel slim...

Linda vroeg: 'Mevrouw Ratmuis, waarom heeft Stilton zijn krant verkocht, of liever weggegeven, voor zo'n lage prijs?'

Zij antwoordde tevreden: 'Omdat ik slim ben, heel slim, en ik weet wat ik doe! *Als je dat maar weet!*'

Linda vroeg verder: 'En wat doet Stilton nu, eh, volgens u?'

Zij keek strak in de camera en brulde uit volle borst: 'Niets, als je dat maar weet! Stilton kan helemaal niets meer doen! *De Wakkere Muis* is nu van mij, helemaal van mij. *Als je dat maar weet!*'

Linda vroeg heel voorzichtig: 'Waarom is *De Wakkere Muis* voor u zo belangrijk, misschien omdat de kwaliteit veel beter is dan *De Rioolrat*?'

Ratja ontblootte haar tanden, haar snor-

haren trilden wild van woede. Zij grauwde
naar Linda: 'Hoe durf je, **GROENTJE,**
te beweren dat *De Wakkere Muis* beter is
dan *De Rioolrat*?'

Zij greep Linda bij de kraag van haar blouse en
schudde haar heen en weer: 'Wat heb je in dat
hoofd van jou in plaats van hersenen? Katten-
brokjes? Tweederangsknager, misbaksel van
een muis, ik trek je snorharen eruit, ik ruk aan
je staart, en bijt in je oren!'

Linda de Muis, bleek als geiten-
kaas, piepte: **'HEEEELP!**
Dit was alles voor nu,
terug naar de studio!'

Ik zette de televisie uit: 'We
moeten *De Wakkere Muis*
terug zien te krijgen...
Morgen of nooit!'

Linda de Muis

ALS JE DAT
MAAR WEET!

Klem zat de hele nacht voor de televisie, hij
bestudeerde video-opnames van Ratja. Hij
moest immers leren lopen en praten als Ratja!
Urenlang probeerde hij haar stem na te doen.
De volgende ochtend gingen we, stipt om negen
uur, naar *De Rioolrat*.
Thea parkeerde haar auto vlak voor de ingang
van het kantoor.

Benjamin belde Ratja: 'Hallo
spreek ik met mevrouw
Ratmuis? Ratja Ratmuis?'
'Ja, dat ben ik,' antwoordde ze.
'Wie is daar, hallo? Hallo?'

'Ik ben een jonge bewonderaar van u, ik wilde u
vertellen dat wij een *FANCLUB* hebben opgericht, de Ratja Ratmuis-Fanclub! We hebben
een feest voor u georganiseerd. Luister eens
hoeveel fans u heeft!'
Ik, Thea en Klem gilden in koor: Yeeeeeh!

Hoera voor Ratja! Je bent de beste!

Ratja olé olé olé!

Weg met Stilton!

Weg met Geronimo Stilton!

Benjamin ging verder: 'Eigenlijk kan het feest
pas echt beginnen als u ook komt, mevrouw
Ratmuis! Komt u? U wilt ons toch niet teleur-
stellen? Het adres is: Staartstraat 35!'
Ratja antwoordde enthousiast: 'Ik kom er aan!
Nu! Meteen! Direct! Onmiddellijk!'

NU! METEEN! DIRECT!
ONMIDDELLIJK!

Een paar minuten later zagen wij hoe ze rattenrap het kantoorgebouw van *De Rioolrat* uit
rende.

Ze had wel erge haast!

Terwijl zij naar de taxi liep, kwam een muis
haar tegemoet die verlegen mompelde: 'Eh, goedemorgen mevrouw Ratmuis, sorry dat ik u stoor, ik ben
Dré Drukfout, uw drukproefcontroleur... Ik wil u er

alleen maar aan helpen herinne-
ren dat u mij tien jaar en acht
maanden geleden al een salarisverhoging heeft beloofd... weet
u nog? Ik doe altijd mijn best...

neem nooit een dag vrij… dus, eh, ik wil graag…
weet u, ik heb een grote familie, ik moet vijf
muizensnuitjes voeren, met mijn salaris
lukt dat niet, het lukt echt niet…'
Ratja duwde hem ruw aan de kant.
'Ksst, weg, ik heb haast en ik heb geen tijd voor
zeurmuizen als jij! Ik ben een *BEROEMDE*
knager, een **RIJKE** knager, een **BELANGRIJKE**
knager, als je dat maar weet. Ze hebben zelfs een
Fanclub voor mij opgericht, ze wachten op mij
voor een feestje! Verdwijn! Begrepen?
Nu! Meteen! Direct! Onmiddellijk!'

Vroemmmmmmmmmmmmmmmmm!

De vijf muizenkindertjes van Dré Drukfout

Ratja sprong in de taxi, die meteen met piepende banden wegscheurde.

De arme Dré Drukfout zuchtte. Hij haalde uit zijn portemonnee een foto tevoorschijn. Vijf muizensnuitjes keken hem triest aan. Hij veegde met de mouw van zijn jas zijn tranen af en ging met gebogen hoofd het kantoor van *De Rioolrat* binnen.

Ik was woedend.

Kattig gedrag als dat van Ratja, daar kan ik echt niet tegen!

Bij *De Wakkere Muis* gaan we heel anders om met het personeel… ik beschouw ze zelfs niet als personeel maar als collega's.

We werken allemaal samen aan het uitgeven
van de meest gelezen krant van Muizeneiland.
Ik werd uit mijn gepeins wakker geschud door
Klem die mompelde: 'Ik ga...'
Ik, Thea en Benjamin fluisterden:
'Muizenmazzel!

Muizenmazzel Klem!'
'Die kat kan de pot op!' antwoordde hij en
knipoogde.
Hij liep naar de ingang.
Op de trap kwam hij Ree Daktie, hoofdredac-
teur, met een dik pak papieren onder de arm
tegen. Ree Daktie mompelde: 'Goedemorgen,
mevrouw Ratmuis! Hier zijn alle manuscripten

waar u om vroeg. Wilt u die vanmiddag lezen?'
Ik zag Klem even twijfelen. Wat zou zij gedaan
hebben? Ik trilde...
Toen hoorde ik hem brullen: 'Niet vanmiddag...
Nu! Meteen! Direct! Onmiddellijk! Als je
dat maar weet!'
De arme man keek niet eens vreemd op van dit
antwoord (waarschijnlijk was hij gewend aan
dat soort heftige reacties) en fluisterde met een
knikje: 'In orde, mevrouw Ratmuis, zoals u
wenst!'

En maakte rattenrap dat hij wegkwam.

Klem draaide zich naar ons om en stak zijn
duim op alsof hij zeggen wilde: 'Het gaat goed!'

Alledrie slaakten we een zucht van opluchting.

Toen ging Klem, eh Ratja, eh nee, *Klem!* naar
binnen. En wij er achteraan!

Het eerste wat ons opviel toen we *De Rioolrat* binnengingen, was de verschrikte reactie van de redacteurs van Ratja. Als op commando keken ze allemaal op, alsof ze bang waren op hun kop te krijgen (letterlijk of figuurlijk).

De inrichting was kil en hi-tech.

Glas, metaal, het leek wel een ziekenhuis in plaats van een uitgeverij.

Overal hingen kaartjes met favoriete uitspraken van Ratja:

97

HIER BEN IK
DE BAAS!

Klem keek onzeker om zich heen.
Hij was nog nooit bij *De Rioolrat* binnen
geweest en had geen idee waar het kantoor van
Ratja was… Opeens zag hij een vergulde deur
met daarop een
bordje: *Ratja Ratmuis*

Klem liep er met ferme stappen heen.
Hij ging naar binnen, en wij er achteraan.
Het kantoor van Ratja was een enorme witte
ruimte. Brrr, je kreeg het al koud als je
ernaar keek! Haar bureau was een enorme driehoek van glas, met drie metalen kattenpoten.

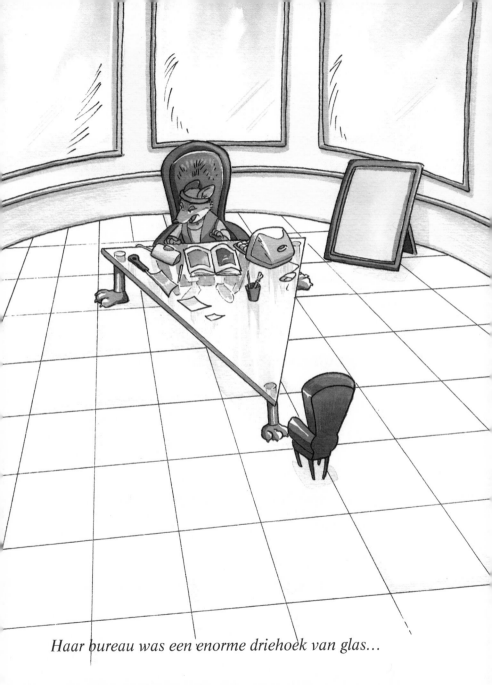

Haar bureau was een enorme driehoek van glas...

Klem ging zitten op een stoel bekleed met synthetisch kattenvel.

Hij drukte op de knop van de intercom en vroeg de secretaresse:

'Brengt u me het contract van Geronimo Stilton, alstublieft...'

De secretaresse aan de andere kant van de lijn bleef even stil. Ik trilde; waarom had hij dat zo beleefd gevraagd? Ratja zei nooit 'alstublieft'... Zijn secretaresse vroeg dan ook: 'Bent u het, mevrouw Ratmuis?'

Klem begreep dat hij een fout had gemaakt en brulde uit alle macht: 'Het contract! Het contract van Stilton! Heeft u kaas in uw oren? Het contract! **Nu! Meteen! Direct! Onmiddellijk!**

De secretaresse sprong opgelucht op: 'Ja, u bent het, mevrouw Ratmuis! Ik kom eraan!'

Dertig seconden later lag er een contract op het glazen bureau.

Ik keek ernaar en stelde opgelucht vast: dat was het koopcontract van *De Wakkere Muis*!

Klem brulde:

SCHEER JE WEG, KAASKOP!

Klem belde de portier, Abel Belboi, en sprak met de stem van Ratja: 'Open je oren en luister, woord voor woord! Er zal zo iemand komen, als je dat maar weet, die doet alsof ze mij is, als je dat maar weet!'

Hij sputterde: 'Ik geloof dat ze er net aankomt… Ja, daar is ze! Ze, eh, lijkt erg veel op u!'

'Goed,' brulde Klem tevreden. 'Vertel haar dat ik de enige ben, de enig echte **Ratja Ratmuis!** Ik ben hier, in haar, eh in *mijn* kantoor en ik wil niet gestoord worden! Als je dat maar weet!'

We hoorden iemand schreeuwen in de hal. Klem zette de deur op een kiertje en keek naar buiten.

'Ratja heeft de portier te pakken, ze gebruikt hem als trampoline... ze bijt hem in zijn staart... zijn oren... nu probeert ze zijn snor haartje voor haartje uit te trekken... ze is echt woedend!'

zijn staart... zijn snor... zijn oren...

Abel Belboi

HET IS
JOUW SCHULD!

Als eerste maakten we een nieuw contract,
waarin *De Wakkere Muis* werd teruggegeven
aan Geronimo Stilton.
Toen riep Klem (nog altijd gekleed als Ratja) de
journalisten van M(muis)TV bijeen en
verklaarde, live op tv, het volgende…

Punt 1. *De Wakkere Muis* is weer in handen van Geronimo Stilton!

Punt 2. *De Rioolrat* looft ter ere van Geronimo Stilton een speciale literatuurprijs uit voor jong talent, *De Stilton Literatuurprijs*. De manuscripten worden gelezen door Geronimo Stilton, in hoogst eigen persoon!

Punt 3. *De Rioolrat* verdriedubbelt alle salarissen en biedt al het personeel een mega-muizen-de-luxe vakantie aan, eerste klas naar Muisopotamië.

Toen alle journalisten weer weg waren, gilde Klem naar zijn secretaresse: 'Ik wil een super-mega-de-luxe feest voor alle knagers die voor *De Rioolrat* werken! **Nu! Meteen! Direct! Onmiddellijk! Als je dat maar weet!!!**' De secretaresse mopperde: 'Maar dat kost een muizenvermogen, mevrouw Ratmuis. U zegt altijd dat we moeten beknibbelen!'

Klem piepte: 'Ik wil de lekkerste kazen… Ratja
betaalt, eh ik betaal alles! **Nu! Meteen!
Direct! Onmiddellijk!**'
Vijf minuten later reden er al vrachtwagens vol
overheerlijke kazen voor, kist na kist verrukke-
lijke kaas werd uitgeladen en in de hal gezet.
Wat een heerlijkheid!
Het feest was nog maar net begonnen toen we
het geluid van rupsbanden hoorden.

Er kwam een tank aangereden, hoogst-
persoonlijk bestuurd door...

Ratja Ratmuis!

We verstopten ons rattenrap. De journalisten
vroegen haar: 'Mevrouw Ratmuis, waarom
heeft u *De Wakkere Muis* aan Geronimo
terugegeven?'
Ratja verbleekte: 'Teruggegeven?'
'Mevrouw Ratmuis, wat aardig! U bent zo
aardig voor uw medewerkers!'
Ze lispelde: 'Aardig?'
'Bedankt, dank u wel, mevrouw Ratmuis!'
Witter dan wit stamelde zij: 'Bedankt?'
'Jáàá, bedankt voor de salarisverhoging,
de vakantie, het feestje...'
Ze hield het niet meer uit en brulde:
'Salarisverhoging? Vakantie? Feestje?'

In de opening van de tank verscheen een bekende knager: dat was ik, eh Enigmo, eh de
nep Geronimo!
Ze duwde hem met brute kracht weer naar
beneden.
'Enigmo, het is allemaal jouw schuld, als je dat
maar weet! Ik wist het wel! Je lijkt helemaal niet
op Geronimo Stilton! Als je dat maar weet!'

ENIGMO
HEEFT GEBELD...

Zal ik jullie vertellen hoe het is afgelopen?
Ratja geeft weer haar eigen krant uit, maar
moet zich natuurlijk houden aan de beloftes
die Klem had gedaan.
De Stilton Literatuurprijs, gespon-
sord door *De Rioolrat*, had enorm veel succes,
er bleven maar manuscripten binnenkomen.
Zo veel jonge schrijvers! En zo veel goede jonge
schrijvers! Jong, zo onschuldig, zo onervaren,
allemaal brachten ze me hun boek. Enthousiast
en vol hoop kwamen ze binnen...

Ach, de jeugd!

Ik vond het altijd al leuk, de jacht naar jong talent, de jeugd de mogelijkheid geven zich uit te drukken.

Die dag kwam een zekere **FRANZ RATKA** bij me op bezoek. Het was een man, *eh muis,* heel donker gekleed, met flaporen, een geleerd knager, een beetje triest...

Hij had een boek geschreven met de titel *DE METAMORFOSE,* over een muis die op een ochtend wakker wordt als kakkerlak. Nou ja! Daarna kwam nog een jonge schrijversmuis langs, met een formidabel manuscript, **Op zoek naar de verloren kaas.** Hij heette **MARCEL PROEST.** Een nieuwsgierige muis, hij knabbelende voortdurend op kaas-koekjes (kaasvlinders), zei dat ze hem aan iets deden denken, en ondertussen bleef hij maar praten, praten, praten...

Het boek leek best interessant, maar was veel te dik. Maar ach, als ik het niet zou uitgegeven, kon ik het gezien de dikte altijd nog gebruiken als deurstopper.

Een zekere Agatha kwam ook nog langs, een oud muisje, ze had allemaal detectives geschreven, bijvoorbeeld DE TIEN KLEINE MUISJES en MUIZENMOORD IN DE ORIËNT-EXPRESS.

FRANZ RATKA

MARCEL PROEST

Ik legde haar geduldig uit dat de Stilton Literatuurprijs was bedoeld voor jong talent. Maar ik
vond haar zo aardig dat ik haar vroeg de manuscripten achter te laten, als ik tijd had zou ik er
een blik op werpen. Wie weet...

O ja, toen kwam **SWAMIE ZWEEFMUIS** langs, een
esoterische muis. Hij had heel mooie gedichten geschreven. Ik hou van een goed gedicht, en jullie?

Ik wilde juist een mooi gedicht gaan lezen toen mijn zus binnenkwam met een enorme stapel manuscripten.

'Die zijn voor jou! En denk er aan, om zes uur heb je de conferentie *OVER KAAS EN DE ZIN VAN HET LEVEN,* om half acht een congres over **DE KAT IN DE MUIZENFANTASIE**, om kwart over negen de perspresentatie van *De Stilton Literatuurprijs!* Morgenochtend om acht uur moet je naar de basisschool 'Alexander de Muis' om te vertellen over je beroep HOE WORD IK UITGEVER. O, trouwens heb ik je al verteld dat Enigmo gebeld heeft, Enigmo Stoorlint?'

'O, ja? Wat zei hij?'

Thea vertelde: 'Hij voelde zich erg schuldig. Ratja had hem iets op de mouw gespeld: dat jullie vrienden van vroeger waren, en dat zij een

grapje met je uit wilde halen. Enigmo
had pas later in de gaten wat een
chaos er was aangericht. Hij wilde je
zelf zijn excuses aanbieden. Hij heeft
je uitgenodigd voor zijn volgende
optreden. Kijk, hij heeft vier kaartjes
gestuurd, gratis, voor ons!'
Ik luisterde, in gedachten verzonken.
Thea vroeg: 'Ben je klaar?'
Op dat moment klopte Dré Drukfout,
de drukproefcontroleur van Ratja
Ratmuis, op de deur, ik had hem
gevraagd bij *De Wakkere Muis* te
komen werken.
'Mijnheer Stilton, nog eens twintig
kilo manuscripten voor u!'
Nog meer manuscripten?
Wat een berg!

Zoveel manuscripten?
Wanneer moet ik dat allemaal lezen?

Miezelien, mijn secretaresse, sprak door de
intercom: 'Mijnheer Stilton, uw taxi is er!'
De telefoon ging: 'Mijnheer Stilton, we ver-
wachten u morgenavond tijdens het congres
op de Club van Uitgevers, u komt toch wel?
Stel ons niet teleur!'
O, jee!
Nu ik zo beroemd was in Rokford, wilde iedereen me interviewen. Iedereen nodigde me uit
voor congressen, conferenties, presentaties,
feestjes… Daar zat ik mooi mee, ik kon niet
overal tegelijk zijn, toch?
Eén Geronimo was gewoon niet genoeg…
Op dat moment begon er zich een beeld in mij
fantasie te vormen…

een dubbelganger!

En als ik me nou eens zou laten helpen door
hem, die andere Geronimo Stilton?
Piep, dat was een muizengoed idee!
Maar dat is een ander verhaal…

INHOUD

Geronimo Stilton

Geronimo Stilton werd geboren in Rokford op Muizeneiland. Hij is afgestudeerd in de *Geschiedenis van de Rattentaal* en de *Filosofie van de Snorhaar*.

Al meer dan twintig jaar staat hij aan het hoofd van Uitgeefgroep Stilton, waartoe ook De *Wakkere Muis* behoort, dé krant van wakker Muizeneiland.

Hij is auteur van verscheidende bestsellers, zoals *Het mysterie van de gezonken schat*. Daarnaast heeft hij meerdere prijzen gewonnen voor zijn boeken, waaronder de bekende 'Gouden Muizenstaart'.

In zijn vrije tijd verzamelt Stilton antieke korsten parmezaan uit de achttiende eeuw en speelt hij golf. Maar het liefst van al vertelt hij sprookjes aan zijn favoriete neefje, Benjamin...

De familie Duistermuis

Op een dag sleept Duifje Duistermuis Geronimo mee naar haar familie in het Schedelslot. Niets is daar normaal! Bij de ingang staat een vleesetende plant, in de slotgracht woont een veelvraat, Het Ding, en zelfs de aardbeien happen wild in het rond. Ook naar de wc gaan is een avontuur, want de toiletpot leeft en dreigt Geronimo op te slokken!

ISBN 90 5924 351 X

Bungelend aan een staartje

Geronimo Stilton krijgt een merkwaardig telefoontje van zijn vriend, professor Volt: 'Breng mijn dagboek naar het Himalaya-gebergte... de yeti... levensgevaar!'
Geronimo gaat samen met zijn zus Thea, zijn neef Klem en zijn lievelingsneefje Benjamin op zoek naar de professor. Hij ziet sporen van de verschrikkelijke sneeuwman, maar Thea en Klem geloven hem niet. Zij zagen niets, dus Geronimo moest dit wel verzonnen hebben.
Geronimo vindt uiteindelijk zijn vriend, en hij doet een belangrijke ontdekking!

ISBN 90 5924 361 7

Knagers in het Donkere Woud

Geronimo (bang voor de tandarts, het donker, kleine ruimten, kortom: bang voor alles) wordt in de val gelokt door zijn familie.
Samen met dokter Zielknager hebben ze bedacht dat een overlevingscursus in het Donkere Woud precies is wat Geronimo nodig heeft. Al snel begrijpt Geronimo dat hij hier niet meer onderuit komt. Zal hij zijn angsten overwinnen?

ISBN 90 5924 372 2

Andere delen in deze serie:

Echte muizenliefde is als kaas   ISBN 90 5924 373 0
Fantasia   ISBN 90 5893 008 4
Het mysterie van de gezonken schat ISBN 90 5924 291 2
Het raadsel van de Kaaspiramide   ISBN 90 5924 281 5

Een boek waar een luchtje aan zit...

FANTASIA

tekst: Geronimo Stilton
illustraties: Larry Keys
formaat: 14,5 x 18,5 cm
omvang: 392 pagina's
druk: volledig in kleur
met 8 'kras- en ruik'-pagina's
bindwijze: gebonden
prijs: € 19,95
ISBN 90 5893 008 4
voor 8 jaar en ouder

Dromen jullie nooit over reizen in het fantastische Fantasia? Over heksen, zeemeerminnen, aardmannetjes en feeën ontmoeten en eenhoorns, trollen en weerwolven... Of een ritje maken op de rug van een regenboogdraak?
Zullen we samen naar Fantasia gaan?
Ga maar zitten en hou je goed vast! We vertrekken!

Een spectaculair, megadik deel in de Geronimo Stilton-reeks. Volledig in kleur en met acht 'kras en ruik' verrassingen, variërend van rozengeur tot zweetvoeten.
Elke Geronimo liefhebber *moet* dit boek in huis hebben.

De Wakkere Muis

1. Ingang
2. Drukkerij (daar worden de boeken en de kranten gedrukt)
3. Administratie
4. Redactie (hier werken de redacteuren, de grafici en de illustratoren)
5. Kantoor van Geronimo Stilton
6. Landingsplaats voor de helikopter

Muizeneiland

1. Groot IJsmeer
2. Spits van de Bevroren Pels
3. Ikgeefjedegletsjerberg
4. Kouderkannietberg
5. Ratzikistan
6. Transmuizanië
7. Vampierberg
8. Muizifersvulkaan
9. Zwavelmeer
10. De Slome Katerpas
11. Stinkende Berg
12. Duisterwoud
13. Vallei der IJdele Vampiers
14. Bibberberg
15. De Schaduwpas
16. Vrekkenrots

17. Nationaal Park ter Bescherming der Natuur
18. Palma di Muisorca
19. Fossielenwoud
20. Meerdermeer
21. Mindermeer
22. Meerdermindermeer
23. Boterberg
24. Muisterslot
25. Vallei der Reuzensequoia's
26. Woelwatertje
27. Zwavelmoeras
28. Geiser
29. Rattenvallei
30. Rodentenvallei
31. Wespenpoel
32. Piepende Rots
33. Muisahara
34. Oase van de Spuwende Kameel
35. Hoogste punt
36. Donkere Woud
37. Muggenrivier

Rokford, de hoofdstad van Muizeneiland

1. Industriegebied
2. Kaasfabriek
3. Vliegveld
4. Mediapark
5. Kaasmarkt
6. Vismarkt
7. Stadhuis
8. Kasteel van de Snobbertjes
9. De zeven heuvels
10. Station
11. Winkelcentrum
12. Bioscoop
13. Sportzaal
14. Concertgebouw
15. Plein van de Zingende Steen
16. Theater
17. Grand Hotel
18. Ziekenhuis
19. Botanische tuin
20. Bazar van de Manke Vlo
21. Parkeerterrein
22. Museum Moderne Kunst
23. Universiteitsbibiotheek
24. De Rioolrat
25. De Wakkere Muis
26. Woning van Klem
27. Modecentrum
28. Restaurant De Gouden Kaas
29. Centrum voor zee- en milieubescherming
30. Havenmeester
31. Stadion
32. Golfbaan
33. Zwembad
34. Tennisbaan
35. Pretpark
36. Woning van Geronimo
37. Antiquairswijk
38. Boekhandel
39. Havenloods
40. Woning van Thea
41. Haven
42. Vuurtoren
43. Vrijheidsmuis

Lieve knaagdiervrienden,
tot ziens, in een volgend avontuur.
Een nieuw avontuur met snorharen,
erewoord van Stilton.

Geronimo Stilton